이건 상자가 아니야

앙트아네트 포티스 글 · 그림 | 김정희 옮김

베틀·북
BETTER BOOKS

앙트아네트 포티스 **글·그림**
미국에 있는 UCLA대학교에서 미술을 공부하고 디즈니 사에서 일했습니다.
현재 캘리포니아에 살고 있습니다.

김정희 **옮김**
영남대학교에서 아동학을 공부하고, 대학원에서 심리학을 전공했습니다.
옮긴 책으로 《우리 아빠 정말 멋져요!》가 있습니다.

이건 상자가 아니야

앙트아네트 포티스 글·그림 | 김정희 옮김

1판7쇄 발행일 2014년 6월 20일 | 펴낸이 강경태 | 펴낸곳 (주)베틀북
등록번호 제16-1516호 | 주소 서울시 강남구 언주로 703 (우)135-818
전화 (02)2192-2300 | 팩스 (02)2192-2399 | 홈페이지 www.betterbooks.co.kr

NOT A BOX
Illustrated by Antoinette Portis

ISBN 978-89-8488-520-2 77890

이 도서의 국립중앙도서관 출판시도서목록(CIP)은 e-CIP 홈페이지(http://www.nl.go.kr/cip.php)에서 이용하실 수 있습니다.
(CIP 제어번호:CIP2007002754)

상자를 가지고 놀기 좋아하는
세상의 모든 아이들에게

아기토끼야, 상자 안에서 뭐 해?

뭐? 상자? 이건 상자가 아니야! 부릉부릉~

15

아기토끼야, 상자 위에는 왜 올라갔어?

이건 상자가 아니래도. **야호!**

한다면
한다!

아기토끼야, 상자에 물은 왜 뿌려?

내가 말했지. 이건 상자가 아니라니까. **쏴아～**

불꺼

하하! 상자를 뒤집어썼구나.

다시 한번 말씀드립니다. 이건 상자가 아닙니다. 삐리리~

토보트 X-3호

우아, 아직도 상자 가지고 놀아?

이건 상자가 아니야.

상자가 아니라고.

상자가 아니라니까!

이상무!
와,
시원해!
모두
사랑해!
친구야,
안녕!

그래, 알았어.

그런데 그게 상자가 아니면 뭐야?

음……

이건 내 꿈의 마법사야!

두비두비 **밤밤. 피융~**